**I ROSICC**

CW00404360

testi e attività • Danila Rotta
illustrazioni • Giovanni Giorgi Pierfranceschi
progetto grafico e impaginazione • Sabina Di Pietro
stampato da Romagna Grafica – Milano

© 2002 *La Spiga languages* – Milano

ARRIVA
ROBIN HOOD

IL TASCABILI
LA SPIGA

Robin Hood vive nella foresta di
Sherwood con i suoi amici.

Little John è molto alto, troppo alto per la capanna di Robin!

Robin indossa i pantaloni e la giacca, poi calza gli stivaletti di cuoio. «Dov'è il mio berretto?» domanda, guardandosi attorno.

Little John trova il berretto di Robin: era sulla sedia!

Robin e Little John prendono arco
e faretra e raggiungono i loro amici
nella foresta.

Robin è un arciere formidabile.
Gli amici lo applaudono: «Bravo!»

Robin e i suoi amici cucinano
in allegria.
Frate Tuck ha un grande appetito.

Robin e i suoi uomini prendono il denaro e i gioielli al ricco signore.

Robin dà ai poveri quello che toglie ai ricchi.

Lo sceriffo di Nottingham e i suoi soldati stanno cercando Robin.

Nella foresta di Sherwood ci sono, però, molte trappole.

Lo sceriffo e i soldati ritornano nella loro fortezza.

Alan è triste perché Ellen, la sua fidanzata, deve sposare un vecchio cavaliere.

Robin e i suoi amici fermano
il corteo nuziale.
«Ellen ama Alan!» grida Robin.

Il vecchio cavaliere fugge, così Alan può sposare Ellen.

Un giorno Robin incontra
un ragazzo... no, una ragazza...

Lady Marian e Robin sono vecchi amici. Si abbracciano...

Un uomo desidera parlare con Robin.

Robin ama il re d'Inghilterra.
Non è un traditore.

L'uomo incappucciato è re Riccardo. Robin e i suoi amici sono invitati nel suo castello.

QUALI PERSONAGGI E COSE FANNO PARTE
DELLA STORIA? COLORALI

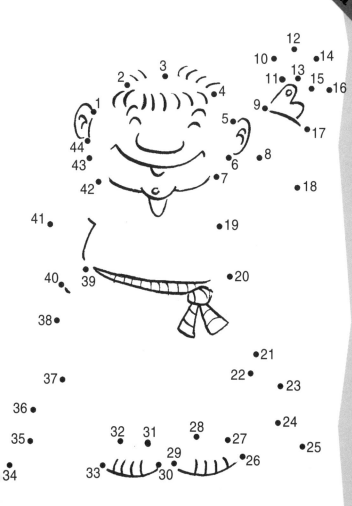

COLORA CIÒ CHE, NELLA STORIA, ROBIN
DÀ AI POVERI

QUALE SENTIERO DEVE PERCORRERE
ROBIN PER RAGGIUNGERE L'AMATA LADY
MARIAN?

CHI È QUEST'UOMO?
COLORA LA TUA RISPOSTA